Este livro pertence a
_____

Edição brasileira:
Coordenação editorial: Lenice Bueno
Assistente editorial: Danilo Belchior
Coordenação de revisão: Elaine Cristina del Nero
Coordenação de edição de arte: Camila Fiorenza
Diagramação: Michele Figueredo
Coordenação de Produção Industrial: Arlete Bacic de Araújo Silva

Todos os direitos reservados no Brasil por
Editora Moderna Ltda.
Rua Padre Adelino, 758 - Belém - São Paulo / SP
CEP: 03303-904
Vendas e Atendimento:
Tel.: (11) 2790-1300 / Fax: (11) 2790-1501
www.salamandra.com.br
Impresso no Brasil

A história de Peppa

Tradução de Lenice Bueno

SALAMANDRA

4ª impressão

A árvore genealógica de minha família

por Peppa

Era uma vez uma porquinha adorável...
um pouquinho mandona, chamada Peppa.

Ronc!
Ronc!

O que ela mais gostava de fazer era ficar pulando —
para **CIMA** e para **BAIXO** — nas poças de lama...

Esta é a Mamãe de Peppa.
Ela sabia *muito* sobre quase todas as coisas.
Mamãe sempre dizia:
– Peppa, se você for pular nas poças de lama,
tem de calçar suas botas.

Squelch! Squelch!

Este é o Papai de Peppa. Ele adorava comer biscoitos e tinha uma barriga bem grande. Quando Papai pulava nas poças de lama, espirrava um **MONTÃO** de lama para todo lado.

Quando George, o irmãozinho de Peppa, nasceu, Peppa ajudava a cuidar dele.

E, logo que ele cresceu um pouquinho, Peppa ensinou George a pular nas poças de lama. E Peppa dizia, igualzinho à Mamãe:

– George, se você for pular nas poças de lama, tem de calçar suas botas.

George adorava poças de lama, mas ele gostava mais ainda de seu brinquedo preferido, o senhor Dinossauro. Mesmo quando ainda não sabia falar, ele sabia dizer *muito bem* uma palavra:

Dino-saulo! Grrr!

Às vezes Peppa ficava aborrecida com George.
– George – ela dizia –, por que você fica chamando
TUDO de dino-saulo? Isso é tããã00 chato!

Um dia, Peppa, George, Mamãe e Papai subiram em seu carrinho e se mudaram para a nova casa, no alto de uma colina verde.

Peppa estava toda animada com a casa nova. Mas ela estava ainda **mais animada** com as poças de lama do jardim: bem molhadas e barrentas!

Bi-bi!

Bi-bi!

— A gente pode ir pular nas poças de lama? — Peppa perguntou, assim que chegaram à casa nova.

— Está quase na hora de dormir — Mamãe respondeu. —Você precisa esperar até amanhã.

É claro que, no dia seguinte, Peppa e George acordaram bem cedinho: não aguentavam mais esperar. E eles foram correndo para o quarto da Mamãe e do Papai.

– A gente pode ir pular nas poças de lama?
Por favor? – Peppa perguntou, toda animada.

Ronc! Ronc!

Uaaawwwn!

– Hoje nós vamos à casa da Vovó e do Vovô,
Peppa – a Mamãe respondeu, sonolenta. – Você
vai poder pular nas poças de lama lá, está bem?

Bi-bi!

Bi-bi!

Oinc!
Oinc!

Depois do café da manhã, era hora de partir.
Então, Peppa e sua família subiram no carrinho.
— Todos prontos? — perguntou alegremente o Papai.
— Sim, Papai! — todos responderam.
— Então, lá **VAMOS** nós! — gritou o Papai.

– **IUPIII!** – gritou Peppa. Ela mal podia esperar para chegar à casa da Vovó e do Vovô e pular nas poças de lama.

Logo a família chegou à casa da Vovó e do Vovô.
Peppa e George adoravam visitar seus avós.

Vovó! Vovô!

Bobô! Bobô!

— Olá, meus pequeninos! — a Vovó respondeu. — Vamos entrar!
— Vovó — pediu Peppa —, posso ir pular nas poças de lama?

— Eu acho que o Vovô tem uma coisa para mostrar para você,
antes disso — a Vovó respondeu.
Peppa ficou um pouquinho desapontada. Ela estava com tanta
vontade de pular nas poças de lama!

O Vovô levou Peppa e George até sua horta.
– É aqui que eu cultivo meus vegetais e legumes –
ele disse. – Primeiro, eu planto as sementes...
– Hummm! A gente pode comer seus vegetais
de-li-ci-o-sos? – perguntou Peppa, esquecendo-se
completamente das poças de lama.
– Precisamos esperar que eles cresçam mais um
pouco, Peppa – o Vovô respondeu.
– Ahhh! – Peppa disse.

De repente: **CABRUM!**
– Nossa, um trovão – o Vovô disse, preocupado. – Parece que vai chover forte! Vamos entrar antes que a chuva comece!

Peppa, George e Vovô correram o mais rápido possível para dentro de casa, para fugir da chuva.

E a chuva começou a cair.
Seus pingos
splish - *splash* - splosh
ficavam escorrendo pela vidraça.
Foi quando George começou
a chorar.
— Não chore, George, é só
a chuva!

Dino-saulo!

Mas não era a chuva que estava fazendo George chorar.
Ele estava chorando porque havia *perdido*
o senhor Dinossauro.

Peppa procurou no andar de cima...

no andar de baixo...

e *até* no vaso sanitário...

mas ela não conseguiu encontrar o senhor Dinossauro.
Foi aí que ela teve uma ideia...

Peppa saiu no quintal, e lá estava o senhor Dinossauro...
muito molhado, no meio da horta enlameada do Vovô!

Ela voltou correndo e entregou o senhor Dinossauro para
George. E George ficou todo feliz.

— A chuva passou! — gritou Peppa. — O que vamos fazer agora?
— Tenho uma excelente ideia, Peppa — disse o Papai.

– Eba! – gritou Peppa, muito feliz, porque lá fora estavam as poças mais cheias de lama que ela já tinha visto! Ela estava tão entretida com a horta do Vovô e tão preocupada com o senhor Dinossauro, que até se esqueceu das poças de lama!

Ronc! Oinc!

Ronc! Oinc! Squelch!

Squelch!

O que Peppa mais gostava de fazer era ficar pulando
– para cima e para baixo – nas poças de lama...
E o que a família de Peppa também mais gostava de fazer era
ficar pulando – para cima e para baixo – nas poças de lama!

Rê! Rê! Rá! Rá! Oinc! Oinc!

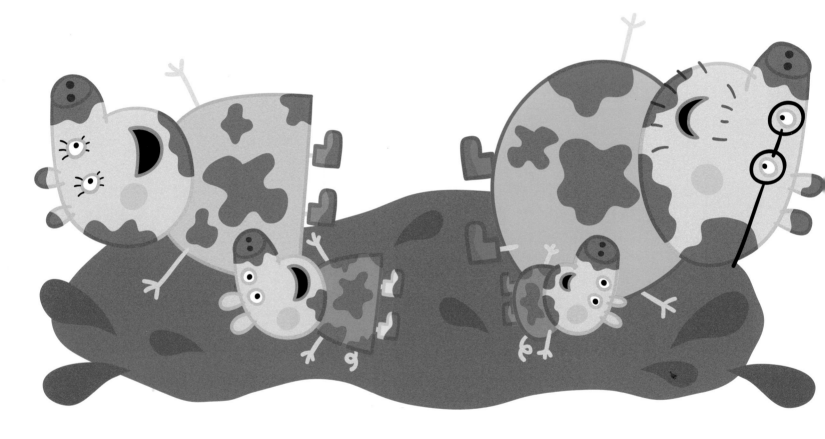

Rê! Rê! Rá! Rá! Ronc! Ronc!